D1263677

Grosse colère

Loi numéro 49 956 du 16 juillet 1949 sur les publications
destinées à la jeunesse : mars 2000
Dépôt légal : décembre 2016
Imprimé en France par Pollina à Luçon - L 79304
ISBN 978-2-211-05771-4

Mireille d'Allancé

Grosse colère

l'école des loisirs

11, rue de Sèvres, Paris 6e

Robert a passé une très mauvaise journée.

« Oh ! là là ! enlève tes baskets », dit son père.

«Voilà ! » dit Robert.

Au dîner il y a des épinards.
« T’es pas malade ? » s’exclame Robert.

« Monte dans ta chambre », dit son père, « tu redescendras quand tu seras calmé. »
« Ça m'étonnerait », répond Robert.

Et là-haut, dans sa chambre,
Robert sent une Chose terrible qui monte…

… monte, monte, jusqu’à ce que…

RRRRRRRHAA,
elle sorte d'un coup.

« Salut », lui dit la Chose, « qu'est-ce qu'on fait ? »
« Tt… tout ce que tu veux », dit Robert.

« Bien », dit la Chose, « on va commencer par là. »

Et hop ! la couette se met à voler
avec tous les coussins.

Crac ! La table de nuit.
Zuig ! La lampe.

L'étagère et tous les livres
y passent : géant !

Et puis la Chose s’approche du coffre à jouets.
« Attends, pas ça ! » dit Robert.

« Tu entends ? Arrête ! »

« Ah, non ! Pas mon camion préféré !
Attends, je vais te réparer ! »

« Et toi, gros nul, disparais !
T’as intérêt de te faire tout petit ! »

« Oh, ma petite lampe.
Attends, je te redresse.

Et toi, mon petit oreiller
tout cabossé.

Et mon livre préféré !
Il t'a tout froissé,
mon pauvre.

Là,
c'est mieux comme ça. »

« Ah, tu es là, toi !
Viens ici que je t’attrape ! »

« Allez ouste, dans la boîte.
Et on ne bouge plus ! »

« Papa ? Est-ce qu'il y a du dessert ? »